Fafounet

Le mystère d'Halloween

Gouvernement du Québec – Programme de crédit d'impôt
pour l'édition de livres – Gestion Sodec

info@lesmalins.ca

Éditeur: Marc-André Audet
Conception graphique et montage: Energik Communications

Dépôt légal – Bibliothèque et Archives nationales du Québec, 2009
Dépôt légal – Bibliothèque et Archives Canada, 2009

ISBN: 978-2-89657-047-8

Imprimé en Chine

Nous reconnaissons l'aide inancière du gouvernement du Canada par
l'entremise du Fonds du livre du Canada pour nos activités d'édition.

Les éditions les Malins
Montréal, Québec

Snif! Snif!

C'est la fête de l'Halloween, et je n'ai toujours pas trouvé mon déguisement.
Je suis tellement triste... Je vais aller décorer ma citrouille pour me changer un peu les idées...

#1

Oh!

Regarde à l'intérieur
de la citrouille...

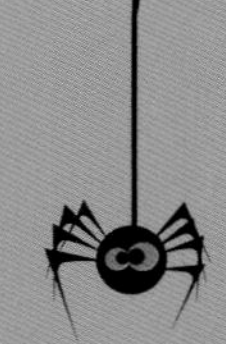

WOW! C'est une clé magique!

Il y a un petit message et un plan qui y sont attachés. Il est écrit que cette clé me permettra d'ouvrir une porte de la mystérieuse maison hantée afin de retrouver une surprise. **UNE SURPRISE?!!!**

C'est formidable!

Moi, j'aime les surprises! Allons-y!

Avant tout, regardons le plan. Quel chemin m'amènera à la mystérieuse maison hantée? Peux-tu m'aider à trouver 3 chemins différents?

RIP
1908

Youpi!

Nous sommes arrivés! Maintenant, il est écrit que je dois accéder à la salle des toiles en ouvrant la porte de gauche avec la clé magique. Tu la vois?

WOW!

Regarde! Nous sommes à l'intérieur de la salle des toiles! Il y a beaucoup d'araignées ici. Je vois d'autres petits messages entremêlés dans les toiles. Il faut récupérer le message sur la toile d'araignée de droite pour accéder à ma surprise. Tu le vois?

#1

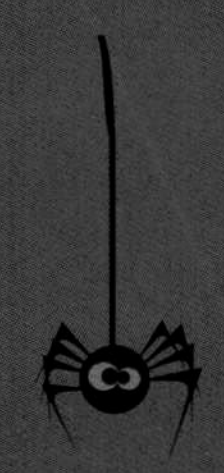

Ah! Non!

Madame Chauve-souris vient de me voler le petit message. C'est complètement TRAgique! Comment vais-je faire maintenant pour récupérer ma surprise?

#1

JE VEUX MA SURPRISE!
OÙ EST MA SURPRISE????

#1

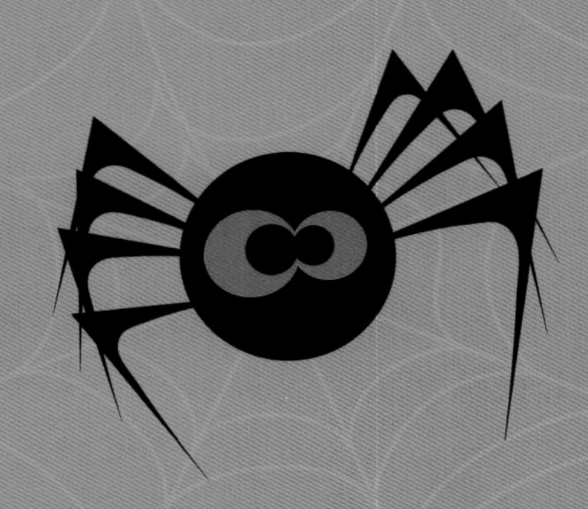

Ah!

Te voici Madame Chauve-souris!

Puis-je avoir mon petit message maintenant?

Pourquoi est-il enduit de chocolat?

Tu refuses de me le dire?

1

MMMMM, c'est vraiment du chocolat!
Moi, j'adoooooore!

Ooups!
J'allais presque oublier ma surprise avec toute cette histoire de chocolat. Voyons voir ce qui est écrit sur ce petit message.

1

Il faut maintenant frapper à la porte de Dame Sorcière. C'est celle du milieu là-bas. Tu la vois?

Est-ce la porte numéro 1, numéro 2 ou numéro 3?

1
2
#1

Bonjour Dame Sorcière, tu as une surprise pour moi? Qu'est-ce que c'est?

WOW!!! Un costume d'Halloween!!!
C'est merveilleux!

Mes soucis sont maintenant terminés!!!!
Je vais l'enfiler à l'instant même!!!!

VOILÀ!

Je suis tout vêtu pour passer l'Halloween maintenant! Merci Dame Sorcière pour mon costume.

C'est vraiment une très belle surprise!

Au revoir!!!!

#1

Fafounet

De la même collection, découvrez aussi :

Fafounet part en voyage

Fafounet voit la vie en vert

Fafounet La surprise de Noël

Fafounet va surprise de Noël

Fafounet va aux pommes

Fafounet a un petit frère